TASHKENT

AURORA ART PUBLISHERS
LENINGRAD

МИР
ТРУД

Compiled and introduced by *M. BULATOV*, Doctor of Architecture
T. KADYROVA, Candidate of Architecture
(Research Students of the Hamza Hakim-Zadeh Niyazi Institute of
Art Studies)

Photographs by *V. STUKALOV*
Design and layout by *V. LEVCHENKO*

Авторы текста и составители альбома
сотрудники Института искусствознания имени Хамзы Хаким-заде Ниязи
доктор архитектуры *М. С. БУЛАТОВ*,
кандидат архитектуры *Т. Ф. КАДЫРОВА*

Фотографии *В. А. СТУКАЛОВА*
Художник *В. Т. ЛЕВЧЕНКО*

Т $\frac{80103\text{-}000}{023(01)\text{-}00}$ 00-77

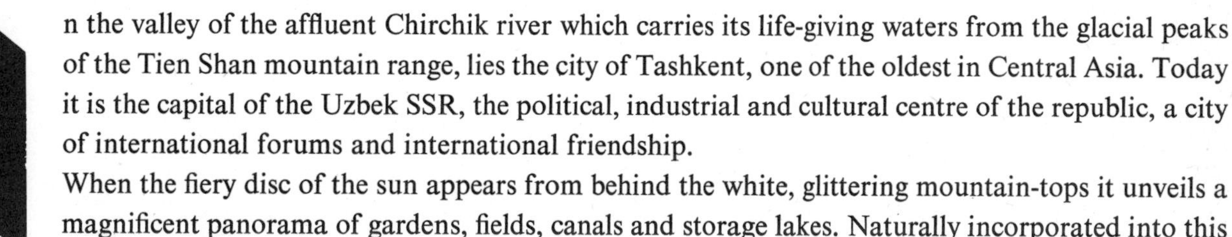

In the valley of the affluent Chirchik river which carries its life-giving waters from the glacial peaks of the Tien Shan mountain range, lies the city of Tashkent, one of the oldest in Central Asia. Today it is the capital of the Uzbek SSR, the political, industrial and cultural centre of the republic, a city of international forums and international friendship.

When the fiery disc of the sun appears from behind the white, glittering mountain-tops it unveils a magnificent panorama of gardens, fields, canals and storage lakes. Naturally incorporated into this picture of a bounteous land, a fertile soil whose yield is multiplied by the labour of man, is the unique image of a modern city.

Tashkent is especially lovely in the spring: through the clear, pellucid air one's gaze can follow to the very horizon the picturesquely sprawling city under a sumptuous canopy of green. The bustling suburbs extend to the foothills of the Tien Shan, where the Chirchik river starts on its snake-like course. In the summer Tashkent is dry and torrid, but a thick network of canals fed by the snows and glaciers of the Pamirs helps to alleviate the oppressive heat.

In the autumn the oasis is dressed in a coat of golden and red foliage. The branches of the fruit-trees, burdened with fruit, reach almost down to the grass, a grass burnt brown by the summer. Amber-coloured clusters of grapes hang heavily from the vines.

According to archaeological data Tashkent has been in existence as an urban centre on its present site since the ninth century, though men settled in these parts as far back as antiquity. Legend has it that before the Arab conquest of Central Asia (seventh—eighth centuries) Old Tashkent was situated on the Chirchik river in the vicinity of Iski-Tashkent, some forty kilometres south-west of the city of today. Probably flooded by the waters of the Chirchik in the eighth century, it was rebuilt on its present site. The name of the city is linked by legend to that of the bogatyr Tash, who vanquished the country in the epoch of the Turkic Kaganate (sixth—seventh centuries).

In ninth—tenth century documents the city was referred to as Binket, or Bonket, meaning the capital city of the province of Shash. This was a major trade and handicraft centre on the caravan route linking Central Asia with Eastern Europe, the Caucasus, Byzantium, Khorassan and the states of the Far East. It was first mentioned as Tashkent by Beruni in the eleventh century.

The rise of the city, the flourishing of sciences, arts and handicrafts there was connected with the general cultural and economic upsurge of Central Asia, and with the mining of rich deposits of silver in the near-by area.

The citadel, *shahristan* (inner city) and *rabad* (outskirts) were surrounded by two rows of fortified walls. Radial roads led from the city gates to the bazaar situated at the walls of the citadel and *shahristan*. With the exhaustion of the silver ore deposits and the outbreak of internecine feudal strife Binket lost its significance in the economic life of the country and by the end of the twelfth century had become just a provincial town.

In the fourteenth—sixteenth centuries Tashkent acquired a new importance as the northern outpost of the kingdom of the Timurids and one of the major cultural, economic and administrative centres of Central Asia, a willing host to many outstanding architects, poets, artists, handicraftsmen and calligraphers of the day.

The walls of the *shahristan* had by that time disappeared. Erected here were the madrasah and mosque of Hodja Akhrar (fifteenth century) and close by the Kukeltash madrasah (sixteenth century) with blue cupolas over the *darskhana* (lecture-hall) and the mosque. The portal and tympana of the

The mausoleum of Zainutdin-bobo. 12th—15th centuries
Мавзолей Зайнутдина-бобо. XII—XV вв.

mosque were faced with magnificent mosaics. Two-storey *hujras* (pilgrim's cells) lined the perimeter of the rectangular courtyard and were also inlaid with mosaic. In the eastern part of the city a memorial complex in honour of Sheikh Hovenda Tahur (Sheikhantaur) was put up in the fifteenth century. This consisted of two mausoleums, one of the sheikh himself, the other of Yunus-khan. The architectural aspect of both structures is very modest.
The sixteenth century saw the creation of the Hazret-imam necropolis. Only two of its structures have survived to the present time: the mausoleum of Qaffal Shashi (architect Guliam Hussein) and the madrasah of Baraq-khan, one of Tashkent's most beautiful medieval buildings, an outstanding monument of sixteenth century Oriental architecture. It consists of two mausoleums, a system of single-storey *hujras* along the perimeter of the inner courtyard and an entrance portal inlaid with mosaic. The larger mausoleum was crowned by a cupola faced with blue-glaze *kashin* tiles, the drum was ornamented with geometrical patterns and an epigraphic frieze.
All the houses, workshops, trading stalls, community mosques and *chaikhanas* were built on a wooden frame and with a flat roof. Dwellings were either of one or two storeys and were subdivided into an inner and an outer part. Each enclosed yard had several irrigation ditches and shady trees which created a cooler microclimate within its confines.
In the seventeenth and eighteenth centuries, with the beginning of the age of sea travel between Western Europe and the countries of the Far East, the caravan routes of Central Asia receded into the background, and the kingdoms of Central and Middle Asia no longer played an important role in world trade and culture. The situation was further aggravated by incessant feudal wars which finally brought the states of Central Asia to their decline.
In the second half of the nineteenth century Turkestan (a former administrative division which included the Central Asian republics of today and part of Kazakhstan) acceded to Russia. A "new city" with a regular layout was erected on the left bank of the Boz-su-Ankhor canal beside the old Tashkent. It was put up by the Russian administration on the site of the Kokand *urda* (fortress) and adjacent lands as a counterweight to the old city. Tashkent grew rapidly and in less than ten years' time its territory had to be expanded. Construction was begun in the so-called Trans-Chaul area, which was given a fan-shaped layout. The newly built houses were one or two-storey structures of burnt or adobe brick. The building of mansions, and especially their interior decoration, was entrusted to local folk craftsmen.
From that time on Tashkent became a city of two faces, a city which consisted of two parts entirely dissimilar in architecture, layout and standard of public services and amenities. Before the October Revolution it was a typical provincial town of the Russian Empire with very little opportunities for developing progressive social thought, science, literature and the arts, and hardly any cultural institutions to speak of.
After the establishment of Soviet power wide opportunities for a large-scale construction were provided. Everywhere in the republic new blocks of flats, public, residential buildings and irrigation networks began to emerge. The first factories for

The mausoleum of Muhammad Abu-Bakr Qaffal Shashi. 16th century
Designed by Guliam Hussein

Мавзолей Мухаммада Абу-Бакра Каффаля Шаши. XVI в.
Зодчий Гулям Хусейн

the primary processing of cotton, plus an agricultural machinery plant and the major textile mill in the country, complete with a residential complex for its workers and staff, were built in Tashkent. A master plan was drawn up in 1939 which foresaw the aggregate buildup of the city, that is, the simultaneous erection of blocks of flats and the whole spectrum of cultural and municipal services. This new development was accompanied by the construction of palaces of culture and the laying-out of recreation parks. Many other towns in the Uzbek republic underwent a similar transformation.

The Great Patriotic War of 1941—45 arrested the peaceful development of the Soviet Union. A number of industrial enterprises were transferred to Uzbekistan. During this grim period Tashkent became a powerful industrial centre of Soviet Central Asia and a haven of refuge for evacuees from the western regions of the country temporarily occupied by the enemy. Despite the complex wartime situation, the building of new dwelling houses, factories and public structures did not come to a halt. The shortage of metal, concrete and lumber (which was previously brought from Siberia) led builders to use the local materials, particularly brick on the lime and *ganch* bindings. It was precisely at this time that builders turned to the traditional forms of Uzbek architecture (the cupola and the lancet arch) and invented a new type of thin-walled double-curved brick vault, named the Uzbekistan system, to span the bays of factory buildings.

After the war the local architects saw their main task in reviving the classical and national heritage of the past. The newly erected structures were decorated with stalactite cornices and plant and geometric arabesques. A wide use was made of marble, *ganch* and wood carving, as well as of wall painting. The inner yards of dwellings were graced with traditional pools and greenery, and to avoid the overheating of the premises, they were given thick walls with small apertures.

These tendencies can be traced in the architecture of the Navoi Academic Theatre of Opera and Ballet, the Ministry of State Farms, the Ministry of the Meat and Milk Industry, the Tashkent Hotel and the residential houses on Alisher Navoi Avenue, all built in the early 1950s.

In the second half of the fifties and in the sixties the new industrial building methods which came into being influenced the architectural idiom of the period. Large housing complexes of standard design were put up on vacant lots, and only public structures were individually designed. Such, for example, are the Chilanzar Trade Centre, the Central Department Store in Theatre Square, the Intourist and Rossiya hotels, *Vuzgorodok* (Student Town), and many others. Those buildings in which glass was widely used had their façades shielded from the sun by ferro-concrete gratings with a geometrical ornament typical of Uzbek architecture.

The age-old tradition of moving the life of the household into the open air, of using the inner yard as a natural extension of the house, found its reflection in the design of multi-storey apartment houses in which the role of summer quarters is assigned to loggias and verandas. The same principle is applied to cafés, restaurants and dining-halls, where the tables are brought

The Namazgokh mosque. 19th century
Мечеть Намазгох. XIX в.

out into open terraces. The traditional minor irrigation network and the pools in the yards of the houses were supplemented by a system of fountains and sprinklers.

The systematic reconstruction and transformation of Tashkent was cut short by the earthquake of 1966. It occurred in the early morning hours of April 26 when the city was fast asleep. The epicentre of the quake was located right under the central part of Tashkent. A large number of buildings in this zone were seriously damaged and some were reduced to piles of rubble.

The resurrection of Tashkent, the creation of what was in effect a new city, was made possible thanks to the aid provided by all the brother republics of the country. The underground tremors which continued through all of 1966 did not prevent the city from becoming one giant construction site, with over nine hundred multi-storey buildings plus bridges, overpasses, traffic thoroughfares and underground communications networks under construction simultaneously.

It took only one thousand days for the new Tashkent to emerge, a resurrected and younger city. Never before in the world had such gigantic and complex construction been effected in so short a time.

The earthquake and its consequences posed some new architectural problems. Among the most important were the architectural and artistic aspects of a city undergoing large-scale industrialization and the necessity of emphasizing the specific flavour of Tashkent as a southern city. No less significant was the problem of the optimal height of buildings. The long-range master plan for the reconstruction of Tashkent envisages the erection of nine-, four-, and two-storey blocks of flats. Further improvements in the master plan might call for an increase in the percentage of high-rise buildings at the expense of the low-storey ones in spite of the high seismicity of the region.

Another crucial problem was that of the new architectural image to be imparted to the city's central area. Being created here is the administrative and public centre of the Uzbek capital which is made up of architectural ensembles, parks, sports facilities, squares, boulevards, artificial reservoirs, traffic terminals and thoroughfares, underground and above-ground parking lots.

This area is dominated by the complex of government buildings in Lenin Square whose architecture is shaped by volumes of contrasting length and height: the seven-storey Government House and the twenty-storey Ministries Building. These two stylistically similar edifices, in conjunction with the old Government House in the same square, create a highly impressive spatial environment.

Inseparable from the ensemble in Lenin Square are the buildings which line Parade Avenue, namely those of the Central Committee of the Komsomol of Uzbekistan, the Hamza Institute of Art Studies, the Republican Committee of Physical Culture, and the Central Committee of the Communist Party of Uzbekistan situated on an elevation in front of the park named after Yury Gagarin.

Outskirts of the Old City
Окраина старого города

All these edifices of glass and concrete are provided with sun-protective gratings (*panjaras*) and faced with white and turquoise ceramic tiles. Coupled with the solid wall of cascades of water framing the square's eastern perimeter, they go to make the entire ensemble a breathtaking sight.
A major architectural development is the reconstruction of Lenin Square which was necessitated by the erection of a monument to Lenin on the high bank of the Boz-su-Ankhor canal. The architects of the project were confronted with the task of creating a fitting spatial environment. To attain this goal the square in front of Government House has been turned into a public garden, and a new square for holding parades and folk festivities has been laid out in front of the Lenin monument, north of the Ministries Building.
Consonant with this complex is the future ensemble in Revolution Square where the seventeen-storey Uzbekistan Hotel is going up. Three high-rise complexes are envisaged between these two—the Chamber of Commerce and the State Planning Committee of Uzbekistan, the Navoi Public Library, and the House of Designing Organizations. Between Karl Marx and Leningrad Streets a trade centre and the Zeravshan restaurant are projected.
A prominent role in the layout of the city's centre belongs to Lenin Boulevard which is in fact a meridional axis of the centre with nine-storey blocks of flats.
The centenary of Lenin's birth saw the completion of the Central Lenin Museum's affiliate in Tashkent, a massive parallelepiped "clad" in a sun-protective grating of Gazgan marble. The building stands on a high podium with wide ramps leading to it from the square. The focal point in the composition of the front hall's interior is a majestic statue of Lenin in white marble. The walls are covered with mosaics recreating the saga of the Revolution and the heroism which underlies all the victories of the Soviet people. The architecture and spatial organization of the hall, the sculpture, monumental painting, wood and *ganch* carvings and, finally, the lighting all serve to create an atmosphere befitting a memorial museum.
Generally speaking, the reconstruction of the ancient cities of Central Asia is a difficult undertaking. All the old architectural monuments must be carefully preserved amidst the new urban complexes. These relics are painstakingly restored and, as a further safeguard, protective zones are set up around them. In relation to residential blocks and houses, however, the problem is much more complex: the folk architecture of Tashkent and, for that matter, the whole of Central Asia, is, as far as materials and constructional elements are concerned, of a flimsy character (thin wooden frames, clay walls, earthen roofing). Nevertheless, the master plan for Tashkent foresees an architectural and ethnographic preservation zone on the site of the medieval *shahristan*. Displayed here will be all the most characteristic and artistically valuable details of the housing construction of old (carved doors, columns, *ganch* panels, wall and ceiling paintings, and the like).
The territory cleared of the old dilapidated dwellings is being taken up by new housing. The architecture and layout of these complexes is conditioned by climate, mores and cultural tradition. One of the housing developments in the October District of

A street in the Old City
Улица старого города

Tashkent may serve as an example of this kind of experimental construction. It consists of three residential complexes with kindergartens and crèches, a general education and a music school. Trade centres and public facilities and services are situated along University and New Uzbekistan Streets. The prime aim of the project is to create the most favourable conditions for work, everyday life, study and rest. Families of seven or more members will be settled in two-storey cottages, each with its own little yard, families of six or less will live in four- and nine-storey houses.

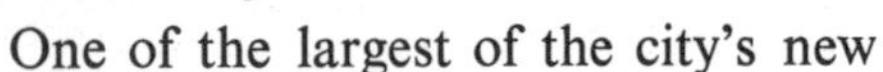

One of the largest of the city's new regions is Chilanzar. The housing units here are grouped around a community and shopping centre which is beginning to take shape. The local market consists of half-open and enclosed trade premises. The organization of its spatial environment is reminiscent of the cupolaed trading stalls of old and is a reflection of the architectural tradition of Uzbekistan. The master plan for Chilanzar's centre envisages a spatial composition dominated by sculptural groups, and architectural volumes six, nine, twelve and twenty stories high. Viewed in horizontal section, these buildings will be shaped like ellipsoids of various sizes; this is not only the most quake-proof form, but less costly as well. The buildings will encompass pit-like courtyards, which, because of the constant circulation of the air therein, are extremely effective in assuaging the microclimate.

A major role in shaping the aesthetic make-up of the city belongs to a trend which is best described as a synthesis of the arts —architecture, monumental painting, sculpture and applied art.

Sculpture and monumental painting were widely used in the architecture of Central Asia as far back as antiquity and the early Middle Ages. Some remarkable architectural monuments of that time have been brought to light by archaeological excavations in Termez, Khalchayan, Penjikent and Samarqand. With the spread of Islam and its ban on the depiction of living beings the predominant role in décor passed to the ornament and the epigraph.

Widely used in the architecture of Tashkent is the practice of painting decorative compositions on the side walls of prefabricated residential houses. An ever wider range of colours is being employed in ceramic facings, but especially frequently turquoise, blue and white.

Worthy of special mention are the murals executed by Chinghiz Akhmarov in the Navoi Academic Theatre of Opera and Ballet (1946) and the Institute for Oriental Studies of the Academy of Sciences of the Uzbek SSR (1960s). The elegant outlines, the soft hues of the murals are a tribute, as it were, to the tradition of Uzbek miniature painting. The mosaic compositions for the House of Knowledge (1968) done by the artists Polishchuk and Shcherbinina are both symbolic and decorative. They are arranged to comply with the spatial organization of the building's interior: the decorative panel begins in the entrance-hall, is continued on the walls of an open staircase and the foyer of the second floor, and terminates on a spiral staircase.

The stained-glass panels of the Gulistan restaurant and the Yubileiny Sports Palace are, in effect, a revival of the long forgotten techniques of decorating *panjaras* with stained glass, so typical of Central Asian architecture in the fourteenth and fifteenth centuries. But along with the old traditions these panels also make good use of the achievements of Lithuanian, Latvian and Estonian artists, who are very active in this field. As they penetrate the stained glass, the rays of the blinding sun light up the interiors to give them a gay, festive appearance.

The building of Tashkent continues. Whole new areas and ensembles are either in the design stage or going up, and a Metro is being laid out. The twenty-five-year master plan for the city's development envisages a cleaner atmospheric environment, the protection and preservation of nature, the creation of a system of major water-reservoirs in the upper reaches of mountain rivers and in the valley around the city, and the establishment of out-of-town rest zones.

Still on the agenda is the problem of the overall architectural image to be imparted to the capital of the republic. The architects of Uzbekistan see its solution in drawing on the national tradition in urban construction and, at the same time, on the multinational character of Soviet culture as a whole.

Every new structure going up displays some ingenious architectural innovations and uses the most progressive building elements and materials of the day. The works of monumental art now being projected are mostly devoted to themes commemorating important historical, revolutionary and cultural events.

The creative searchings of the builders of Tashkent do not end with each new achievement. Prompted by an ever-developing material and technical basis, the scientific revolution, social and economic progress and a changing way of life, the architects of Uzbekistan feel obliged to re-examine and improve even the most up-to-date of their ideas.

долине многоводной реки Чирчик, несущей свои живительные воды с ледниковых вершин отрогов Тянь-Шаня, расположен Ташкент — один из древнейших городов Средней Азии. Ныне это столица Узбекской ССР — политический, индустриальный и культурный центр республики, город международных форумов.

Когда огненный диск солнца появляется из-за белых сверкающих шапок гор, открывается великолепная панорама садов, полей, каналов, водохранилищ. Красота ландшафта естественно сливается с неповторимым обликом современного города.

Ташкент особенно прекрасен весной: прозрачный воздух открывает перспективу до самого горизонта, и можно видеть, как живописно раскинувшийся город утопает в зелени. Окружающие Ташкент селения и города протянулись к предгорьям Тянь-Шаня, откуда змейкой вьется река Чирчик. Летом в Ташкенте сухо и жарко. Но сеть многочисленных каналов, питаемых снегами и вечными ледниками гор, смягчает томительный зной.

Осенью оазис одевается в наряд желто-золотистой и красной листвы, ветви фруктовых деревьев, отяжеленные плодами, клонятся к побуревшей за лето траве, янтарные кисти винограда свисают с вьющихся лоз.

По данным археологических исследований, Ташкент как город существует на его современной территории с IX века, хотя люди здесь селились еще в глубокой древности. Легенда гласит, что до завоевания арабами Средней Азии (VII—VIII вв.) старый Ташкент находился на реке Чирчик, в районе селения Иски-Ташкент, в сорока километрах к юго-западу от современного города. Вероятно, в VIII веке он был смыт водами Чирчика, после чего возник на современной территории. Название города легенда связывает с именем богатыря Таша, завоевавшего страну в эпоху тюркского каганата (VI—VII вв.).

В источниках IX—X веков город назывался Бинкет, или Бонкет, то есть основной (столичный), в области Шаш. Бинкет был крупным торгово-ремесленным центром на караванном пути, соединявшем Среднюю Азию с Восточной Европой, Кавказом, Византией, Хорасаном и государствами Дальнего Востока. Под названием Ташкент он упоминается в XI веке у Беруни.

Рост города, развитие в нем наук, ремесел и искусства были связаны с общим культурно-экономическим подъемом Средней Азии и разработками богатых серебряных месторождений.

Цитадель (крепость), шахристан (город) и рабад (предместье) Бинкета были окружены двумя рядами стен с крепостными сооружениями. Радиально расположенные дороги вели от городских ворот к базару, находившемуся возле стен цитадели и шахристана. После истощения запасов серебряной руды, в пору феодальных междоусобиц, Бинкет потерял ведущее значение в экономической жизни страны и к концу XII века превратился в захолустный городок.

В XIV—XVI веках Ташкент становится северным форпостом государства Тимуридов, одним из крупнейших культурно-экономических и административных центров Средней Азии. Сюда переезжали выдающиеся зодчие, поэты, художники и каллиграфы.

Шахристан утратил к тому времени крепостные стены. В его центральной части были возведены мечеть и медресе Ходжа Ахрара (XV в.), а рядом с ними медресе Кукельдаш (XVI в.) с голубыми куполами над дарсханой (лекционный зал) и мечетью с великолепной мозаичной облицовкой портала и тимпанов. Двухэтажные худжры (кельи) располагались по периметру прямоугольного двора и также были украшены мозаикой. В восточной части города построили мемориальный комплекс шейха Ховенди Тахура (Шейхантаура) с мавзолеями самого шейха и Юнус-хана (XV в.). Их архитектурный облик скромен. В XVI веке создан некрополь Хазрет-имам. До сих пор сохранились входившие в него мавзолеи Каффаля Шаши (зодчий Гулям Хусейн) и медресе Барак-хана — одно из красивейших зданий средневекового Ташкента. Оно включает два мавзолея, одноэтажные худжры по периметру двора и украшенный мозаикой входной портал. Здание большого мавзолея некогда венчал купол, облицованный кашиновыми изразцами с поливой голубого цвета; барабан купола был декорирован геометрическим узором и эпиграфическим фризом. Дома, ремесленные мастерские, торговые ряды, махаллинские (квартальные) мечети, чайханы имели деревянный каркас и плоскую крышу. Жилые дома строились в один или два этажа и были разделены на внутреннюю и внешнюю половины. В примыкающих к ним двориках с сетью арыков и тенистыми деревьями создавался благоприятный микроклимат.

В XVII—XVIII веках, в связи с открытием морских торговых путей между Западной Европой и странами Дальнего Востока, караванные пути, пролегавшие через Среднюю Азию, потеряли свое былое значение. Страны Средней и Центральной Азии перестали играть важную роль в мировой экономике и культуре, постоянные феодальные войны усугубляли положение, и государства Средней Азии пришли в упадок.

Во второй половине XIX века Туркестан (так называлась обширная территория, включавшая современные республики Средней Азии и часть Казахстана) присоединился к России. Рядом со старым Ташкентом, на левом берегу канала Боз-су — Анхор, русская администрация построила новый город с регулярной планировкой. Он был создан на месте кокандской урды (крепости) и прилегающей к ней территории. Не прошло и десяти лет, как город потребовалось расширить. Началось освоение восточной, так называемой зачаулинской, части, которая решена веерной планировкой. Застройка осуществлялась одноэтажными и двухэтажными домами из сырцового и жженого кирпича. Для возведения особняков и отделки их интерьеров привлекали местных народных мастеров.

С этих пор Ташкент состоял из двух частей — противоположных по архитектурному облику, планировке, характеру застройки, уровню благоустройства.

До Великой Октябрьской социалистической революции Ташкент представлял собой типичный провинциальный город Российской империи. Крайне ограничены были возможности развития прогрессивной общественной мысли, науки, литературы и искусства, деятельности культурных учреждений.

После установления Советской власти были созданы все условия для широкого строительства. По всей республике началось возведение жилых, общественных, промышленных зданий и ирригационных сооружений. Строились первые крупные промышленные предприятия по первичной обработке хлопка, завод сельскохозяйственного машиностроения, самый большой в стране текстильный комбинат и при нем соцгородок для рабочих и служащих и особенно много — жилых домов, парков культуры, кинотеатров. В Ташкенте наряду со старым вырос новый город с правильной планировкой улиц и проспектов, с домами европейского типа и общественными зданиями. Его застройка и реконструкция регулировались генеральным планом, утвержденным в 1939 году.

Великая Отечественная война (1941—1945) приостановила мирное строительство страны. В Узбекистан были переведены промышленные предприятия, Ташкент превратился в мощный индустриальный центр Средней Азии. В это тяжелое время город одновременно стал приютом для населения, эвакуированного из западных областей Советского Союза, временно оккупированных врагом. Несмотря на сложную обстановку военного времени, продолжалось жилищное строительство, возводились новые корпуса промышленных предприятий и общественных зданий. Однако строители Ташкента не располагали в достатке металлом, цементом, отсутствовал лесоматериал, обычно завозимый из Сибири. Возникала необходимость строить только из местных материалов — кирпича на известковом и ганчевом растворах. Именно в эту пору архитекторы обращаются к традиционным приемам и формам узбекского зодчества (купола, стрельчатые арки), изобретают тонкостенные кирпичные своды двойной кривизны, получившие наименование системы „Узбекистан", которыми перекрывались большие пролеты заводских корпусов.

После окончания войны архитектура нашей страны была особенно проникнута гражданственным пафосом. Для этого времени характерно обращение советских зодчих к классическому и национальному наследию. Эти черты нашли отражение и в архитектуре Узбекистана: возрождаются старые формы, художественная резьба по мрамору, ганчу, дереву, роспись. Широко проектируются замкнутые дворики с традиционным обводнением и озеленением, во избежание перегрева помещений — массивные стены с небольшими световыми проемами; здания украшаются сталактитовыми карнизами, растительными и геометрическими арабесками.
Эти тенденции можно проследить в архитектуре Ташкента начала 1950-х годов: в зданиях Узбекского государственного академического театра оперы и балета имени А. Навои, Министерства совхозов, Министерства мясо-молочной промышленности, гостинице „Ташкент" и жилых домах на проспекте Алишера Навои.
Во второй половине 50—60-х годов в деятельности архитекторов произошли перемены, вызванные появлением новых индустриальных методов домостроения. Жилищное строительство осуществлялось крупными массивами на свободных землях по типовым проектам, по индивидуальным — возводились лишь общественные сооружения: торговый центр Чиланзара, Центральный универмаг на Театральной площади, панорамный кинотеатр на улице Навои, гостиницы „Интурист" и „Россия", Вузовский городок. При обилии стекла на фасады зданий надеваются солнцезащитные железобетонные решетки геометрического рисунка, характерного для архитектуры Узбекистана.
Многовековая традиция устраивать открытые помещения, использовать двор как естественное продолжение дома нашла отражение в планировке многоэтажных зданий: помещения проектируются с лоджиями и террасами. По такому же принципу строятся столовые, кафе, рестораны. Мелкая оросительная сеть и внутриквартальные хаузы (бассейны) дополняются системой фонтанов и искусственного дождевания.
Планомерное преобразование Ташкента было прервано землетрясением 1966 года. Оно произошло ранним утром 26 апреля, когда город был погружен в сон. Эпицентр землетрясения находился под центральной частью Ташкента. Многие здания получили серьезные повреждения, некоторые превратились в груды развалин.
Возрождение Ташкента, создание, по существу, нового города стало возможным благодаря помощи всех братских республик страны. Подземные толчки, продолжавшиеся весь 1966 год, не помешали превратить город в гигантскую строительную площадку. Одновременно возводилось более девятисот многоэтажных зданий, мосты, путепроводы, прокладывались транспортные магистрали, новые линии подземных коммуникаций.
Только тысяча дней потребовалась для того, чтобы возродился и помолодел древний Ташкент. Мировая строительная практика еще не решала задач подобного масштаба и сложности в столь короткие сроки.
Последствия землетрясения выдвинули перед зодчими ряд градостроительных проблем. Особенно остро стоял вопрос об архитектурно-художественном своеобразии города, выявлении специфики архитектуры Ташкента в условиях индустриального строительства.
Не менее важной была проблема этажности застройки Ташкента. В генеральном плане реконструкции города указано на необходимость строительства девяти-, четырех- и двухэтажных зданий. Дальнейшее совершенствование плана реконструкции города, возможно, потребует увеличения процента высотных сооружений за счет малоэтажных, несмотря на сложные условия повышенной сейсмичности.
Представлялось важным найти также и архитектурное решение центральной части Ташкента. Здесь создается общегородской административно-общественный центр, состоящий из архитектурных ансамблей, парковых и спортивных сооружений, скверов, бульваров, искусственных водоемов, транспортных узлов и магистралей, наземных и подземных автостоянок. Доминантой в композиции центра является комплекс правительственных зданий на площади имени В. И. Ленина. Его архитектура формируется объемами зданий, контрастными по протяженности и высоте: семиэтажным Домом правительства и двадцатиэтажным зданием министерств. Эти здания в сочетании с выстроенным ранее Домом правительства организуют выразительную пространственную среду.

От ансамбля площади имени В. И. Ленина неотделимы размещенные по Аллее Парадов здания Центрального Комитета Ленинского Коммунистического Союза Молодежи Узбекистана, Института искусствознания имени Хамзы, Республиканского спортивного общества и здание Центрального Комитета Коммунистической партии Узбекистана, расположенное на возвышении перед парком имени Ю. Гагарина.

Эти сооружения, решенные в стекле и бетоне, с солнцезащитными решетками-панджара, облицованные керамикой белого и бирюзового цветов, а также водяной каскад придают центральному ансамблю исключительное своеобразие.

Значительным событием в архитектурной летописи Ташкента явилась реконструкция площади имени В. И. Ленина, связанная с установкой нового монумента вождю на высоком берегу канала Боз-су — Анхор. Площадь перед Домом правительства превратилась в сквер, а перед памятником В. И. Ленину, севернее здания министерств, создана площадь для торжеств и парадов.

С этим комплексом перекликается ансамбль сквера Революции, где возвышается семнадцатиэтажная гостиница „Узбекистан". Здесь же по проекту будут расположены три высотных комплекса — Торговая палата и Госплан УзССР, Публичная библиотека имени А. Навои, Дом проектных организаций, а между улицами Карла Маркса и Ленинградской — Торговый центр и ресторан „Зеравшан".

В планировке города большую роль играет бульвар имени В. И. Ленина, являющийся композиционной осью центра. Бульвар застроен девятиэтажными жилыми домами. На бульваре созданы искусственные горки, гроты, водоемы, садовые мостики, построена чайхана „Голубые купола", небольшие фонтаны увлажняют воздух, смягчая зной.

К 100-летию со дня рождения В. И. Ленина было построено здание ташкентского филиала Центрального музея В. И. Ленина. Мощный параллелепипед, „одетый" в газганский мрамор, поставлен на высокий подиум, к которому ведут широкие пандусы. Величественная беломраморная скульптура В. И. Ленина украшает вводный зал. На стенах — мозаика, воскрешающая эпопею революции, героику побед советского народа. Архитектура и организация пространства зала, скульптура, резьба по дереву и ганчу, освещение создают торжественную обстановку, отвечающую назначению мемориального памятника-музея.

Методы реконструкции исторически сложившихся городов Средней Азии — одна из сложных проблем. Старые архитектурные памятники бережно сохраняются среди новой застройки — их реставрируют и подвергают консервации. Судьба жилых кварталов и домов более сложна: народная архитектура Ташкента, как и всей Средней Азии, недолговечна по материалу и конструкции (тонкий деревянный каркас, глинобитные стены, земляные кровли). По генеральному плану развития Ташкента на месте средневекового шахристана проектируется архитектурно-этнографический заповедник. В нем будут представлены характерные для старой жилой застройки дома, художественно ценные архитектурные детали (резные двери, колонны, ганчевые панно, росписи стен и потолков).

Территория, освобождаемая от ветхого жилого фонда, застраивается новыми домами. Их планировочные решения обусловлены местными климатическими особенностями, бытовыми и культурными традициями. Примером экспериментального строительства является один из микрорайонов в Октябрьском районе Ташкента. Он состоит из трех жилых комплексов с детскими садами и яслями, общеобразовательной и музыкальной школами. Предприятия торгового и бытового обслуживания размещены вдоль Университетской и Новоузбекистанской улиц. Проект предусматривает создание оптимальных условий для труда, быта, учебы и отдыха. Для многодетных семей предназначены двухэтажные дома типа коттеджей с приквартирными двориками. Небольшие семьи будут жить в четырех- и девятиэтажных домах.

Один из крупнейших районов города — Чиланзар. По проекту застройки его центра жилые здания группируются вокруг общественно-культурного и торгового центра, в который включен рынок. Он представляет собой сочетание полуоткрытых и закрытых помещений. Организация пространственной среды ассоциируется со старинными купольными пассажами и отражает специфику архитектурно-строительной культуры Узбекистана. Ведущей темой объемно-пространственной композиции района станут „скульптурно-пластические“ и архитектурные объемы в шесть, девять, двенадцать и двадцать этажей. Они имеют форму разновеликих эллипсоидов, которые наиболее устойчивы в условиях повышенной сейсмичности и экономически выгодны. Внутри зданий — дворы-колодцы, дающие исключительный микроклиматический эффект: циркуляция воздуха в них постоянна.

В эстетике города большая роль принадлежит синтезу архитектуры, монументальной живописи, скульптуры и прикладного искусства.

Еще в эпоху античности и раннего средневековья в архитектуре Средней Азии широко применялись скульптура и монументальная живопись. Замечательные памятники скульптуры этой поры выявлены археологическими раскопками в Термезе, Халчаяне, Пенджикенте, Самарканде. С распространением ислама и его запретов на изображения человека и животных главную роль в архитектурном декоре стали играть орнамент и эпиграфика.

Современные зодчие и художники стремятся возродить традиции синтеза искусств и творчески их переработать. В архитектурной практике Ташкента получила распространение роспись торцов крупнопанельных жилых домов. В керамической облицовке все чаще используется широкая палитра красок, но особенно характерны бирюзовый, синий и белый цвета.

Большой интерес вызывают настенные росписи, выполненные Чингизом Ахмаровым в Узбекском государственном академическом театре оперы и балета имени А. Навои, в Институте востоковедения Академии наук Узбекской ССР. Изящный рисунок, мягкие тона темперных красок продолжают художественные традиции миниатюрной живописи Востока. Мозаики Дома знаний, выполненные художниками Л. Полищук и С. Щербининой, символичны, декоративны. Композиции построены в соответствии с объемно-пространственной организацией интерьера; панно начинается в вестибюле, продолжается на стенах открытой лестницы, в фойе второго этажа и заканчивается на винтовой лестнице.

В витражах ресторана „Гулистан“ и Центрального дворца спорта „Юбилейный“ возрождены характерные для Средней Азии XIV—XV веков и давно забытые приемы декорирования панджара цветными стеклами. Они умело сочетаются с современными приемами, разработанными художниками-витражистами Литвы, Латвии, Эстонии. Лучи яркого солнца, пробиваясь сквозь цветные стекла, придают интерьерам праздничный, нарядный вид.

В различных частях города на площадях, бульварах, в парках и скверах воздвигнуты скульптурные памятники деятелям революции, науки, культуры и искусства.

Ташкент продолжает строиться. Проектируются и возводятся новые районы, ансамбли, прокладывается метрополитен. В генеральном плане развития города, рассчитанном на двадцать пять лет, предусмотрены меры по улучшению воздушного бассейна, охране природы, созданию системы крупных акваторий в верховьях горных рек и в долинной зоне вокруг города, организации мест загородного отдыха.

Важным вопросом остается проблема архитектурного облика столицы республики. Зодчие Узбекистана стремятся использовать местные национальные традиции и исходят из многонационального характера культуры народов Советского Союза, обусловленной единством интересов и стремлений социалистических наций, индустриальной основой строительного производства. Для архитектуры Ташкента характерно новаторство и применение прогрессивных строительных конструкций и материалов.

Творческая мысль градостроителей не останавливается на достигнутом. Постоянно развивающаяся материально-техническая база, научно-технический прогресс, социально-экономические сдвиги, перемены в бытовом укладе вносят коррективы в замыслы архитекторов.

Here in these parts, the loveliest in the world,
rimmed by blue mountains, proudly stands Tashkent.

Gafur Guliam

Ташкент построен в лучшей части света,
он весь — в просторной синей чаше гор.

Гафур Гулям

1 *Uzbekistan Hotel. 1974*
← *Designed by L. Yershova, I. Merport*
2 *and V. Rashchupkin*

Гостиница „Узбекистан". 1974
Архитекторы Л. Ершова, И. Мерпорт,
В. Ращупкин

3 *Block of flats and the department store Children's Paradise. 1969*
Designed by M. Garsia, V. Ginzburg and A. Rochegov
Жилой дом и универмаг „Детский мир". 1969
Архитекторы М. Гарсия, В. Гинзбург, А. Рочегов

4 *The buildings of the creative unions of Uzbekistan. 1969*
Designed by A. Dubinsky, A. Rochegov and M. Firsov

Дома творческих союзов Узбекской ССР. 1969
Архитекторы А. Дубинский, А. Рочегов, М. Фирсов

5 *The Lazzat café. 1970. Interiors*
6 *Design and interior decoration by A. Zharsky, N. Zharsky and P. Zharsky*

Кафе „Лаззат". 1970. Интерьеры
Архитекторы-художники А. Жарский, Н. Жарский, П. Жарский

7 *The building of the Regional and City*
← *Committees of the Communist Party of Uzbekistan. 1971*
Designed by E. Vidiakin and A. Feinleib

Здание областного и городского комитетов Коммунистической партии Узбекистана. 1971
Архитекторы Е. Видякин, А. Файнлейб

8 *Block of the conference hall*
Блок зала заседаний

9 *The Presidium of the Academy of Sciences of the Uzbek SSR. 1928*
Designed by G. Svarichevsky
Здание Президиума Академии наук Узбекской ССР. 1928
Архитектор Г. Сваричевский

10 *Monument to Karl Marx. 1968*
By D. Riabichev
Architectural design by L. Adamov and Yu. Miroshnichenko
Памятник Карлу Марксу. 1968
Скульптор Д. Рябичев
Архитекторы Л. Адамов, Ю. Мирошниченко

КАРЛ
МАРКС

11 The Cosy Nook café. 1965
Designed by N. Zaidov
Кафе „Уголок". 1965
Архитектор Н. Заидов

12 The Buratino café. 1965
Designed by E. Fakhrutdinov
Кафе „Буратино". 1965
Архитектор Э. Фахрутдинов

13 The head office of Central Asian Railways. 1972
← Designed by A. Akhmedov

Здание управления Среднеазиатской железной дороги. 1972
Архитектор А. Ахмедов

14 *Blocks of flats on Lenin Avenue in the "Ukraine" residential area. 1970*
Designed by V. Yelizarov, A. Zavarov, I. Kozmeter, G. Koporovsky, L. Kulikov, E. Reprintseva, I. Sanadze and O. Shmorchuk

Жилые дома на проспекте В. И. Ленина в микрорайоне „Украина". 1970
Архитекторы В. Елизаров, А. Заваров, И. Козметер, Г. Копоровский, Л. Куликов, Э. Репринцева, И. Санадзе, О. Шморчук

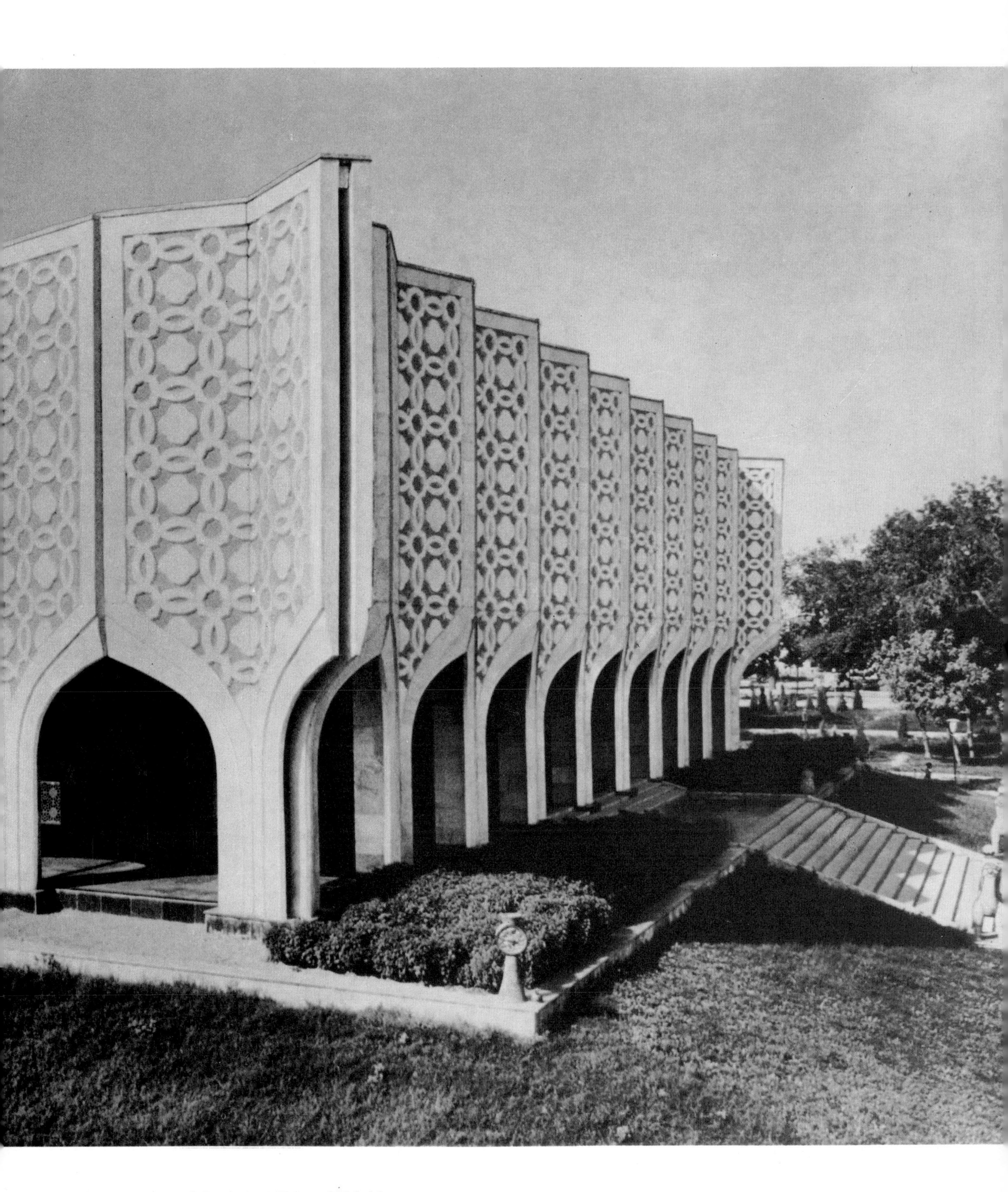

15 *Exhibition pavilion of the Artists' Union of Uzbekistan. 1974*
Designed by F. Tursunov and R. Khayrutdinov
Выставочный павильон Союза художников Узбекской ССР. 1974
Архитекторы Ф. Турсунов, Р. Хайрутдинов

16 *Lenin Avenue*
Проспект В. И. Ленина

17 Panorama of the eastern part of the city
Панорама восточной части города

18 Lenin Square. 1966—74
→ Designed by L. Adamov, S. Adylov, B. Mezentsev, E. Rozanov, F. Tursunov, V. Shestopalov and A. Yakushev
Monument to Lenin by N. Tomsky

Площадь имени В. И. Ленина. 1966—1974
Архитекторы Л. Адамов, С. Адылов, Б. Мезенцев, Е. Розанов, Ф. Турсунов, В. Шестопалов, А. Якушев
Скульптор Н. Томский

P

МУЗЕЙ
В.И.ЛЕНИНА

В.И.ЛЕНИН
МУЗЕЙИ

19 ← *The Tashkent Branch of the Central Lenin Museum. 1970*
Designed by Yu. Boldychev, E. Rozanov and V. Shestopalov
Ganch carving by folk craftsmen Makhmud Usmanov and Kadyrjan Khaydarov

Здание Ташкентского филиала Центрального музея В. И. Ленина. 1970
Архитекторы Ю. Болдычев, Е. Розанов, В. Шестопалов
Резьба по ганчу народных мастеров Махмуда Усманова, Кадырджана Хайдарова

20 *The building of the Council of Ministers of the Uzbek SSR. 1967*
←
21 *Designed by L. Adamov, B. Zaritsky, B. Mezentsev, E. Rozanov and V. Shestopalov*

Здание Совета Министров Узбекской ССР. 1967
Архитекторы Л. Адамов, Б. Зарицкий, Б. Мезенцев, Е. Розанов, В. Шестопалов

22 *Monument to Lenin.*
1974
By N. Tomsky
Architectural design by S. Adylov

Памятник
В. И. Ленину. 1974
Скульптор
Н. Томский
Архитектор
С. Адылов

23 *The Uzbek SSR Ministries Building. 1973*
← *Designed by L. Adamov, B. Zaritsky, B. Mezentsev, E. Rozanov and V. Shestopalov*

Здание министерств Узбекской ССР. 1973
Архитекторы Л. Адамов, Б. Зарицкий, Б. Мезенцев, Е. Розанов, В. Шестопалов

24 *Architectural complex: the buildings of the Central Committee of the Komsomol of Uzbekistan, the Hamza Hakim-Zadeh Niyazi Institute of Art Studies and the Sports Committee. 1970—72*
Designed by L. Adamov and M. Kondakova

Комплекс зданий: Центральный Комитет Ленинского Коммунистического Союза Молодежи Узбекистана, Институт искусствознания имени Хамзы Хаким-заде Ниязи, Республиканское спортивное общество. 1970—1972
Архитекторы Л. Адамов, М. Кондакова

25 *The Hamza Hakim-Zadeh Niyazi Institute of Art Studies. Hall*

← *Институт искусствознания имени Хамзы Хаким-заде Ниязи. Холл*

26 *Tashkent Hotel. 1956*
Designed by M. Bulatov and L. Karash
Гостиница „Ташкент". 1956
Архитекторы М. Булатов, Л. Караш

27 *The Navoi Uzbek Academic Theatre of Opera and Ballet. 1947*
Designed by A. Shchusev

Узбекский государственный академический театр оперы и балета имени А. Навои. 1947
Архитектор А. Щусев

28 *The Tashkent Hall*
Ganch carving by folk craftsman Tashpulat Arslankulov

Ташкентский зал
Резьба по ганчу народного мастера Ташпулата Арсланкулова

29 *The Bukhara Hall*
Ganch carving by folk craftsman Usto Shirin Muradov

Бухарский зал
Резьба по ганчу народного мастера Усто Ширин Мурадова

30 *The Fergana Hall*
Ganch carving by folk craftsman Tashpulat Arslankulov

Ферганский зал
Резьба по ганчу народного мастера Ташпулата Арсланкулова

31 *The auditorium*

← *Зрительный зал*

32 *Decorated ceiling in the auditorium*

Плафон зрительного зала

УНИВЕРМАГ

33 *The Central Department Store. 1964*
Designed by L. Blat, L. Komissar and A. Freitag

Центральный универсальный магазин. 1964
Архитекторы Л. Блат, Л. Комиссар, А. Фрейтаг

34 *The Lenin Palace of Young Pioneers and Schoolchildren. The building was erected in 1890*
Designed by L. Benois

Дворец пионеров и школьников имени В. И. Ленина
Здание построено в 1890 г. Архитектор Л. Бенуа

35 *The Art Museum of the Uzbek SSR. 1974*
Designed by I. Abdulov and S. Rosenblum

Государственный музей искусств Узбекской ССР. 1974
Архитекторы И. Абдулов, С. Розенблюм

36 *The House of Knowledge. 1968*
Designed by I. Demchinskaya, Yu. Miroshnichenko and S. Shuvayeva
Дом знаний. 1968
Архитекторы И. Демчинская, Ю. Мирошниченко, С. Шуваева

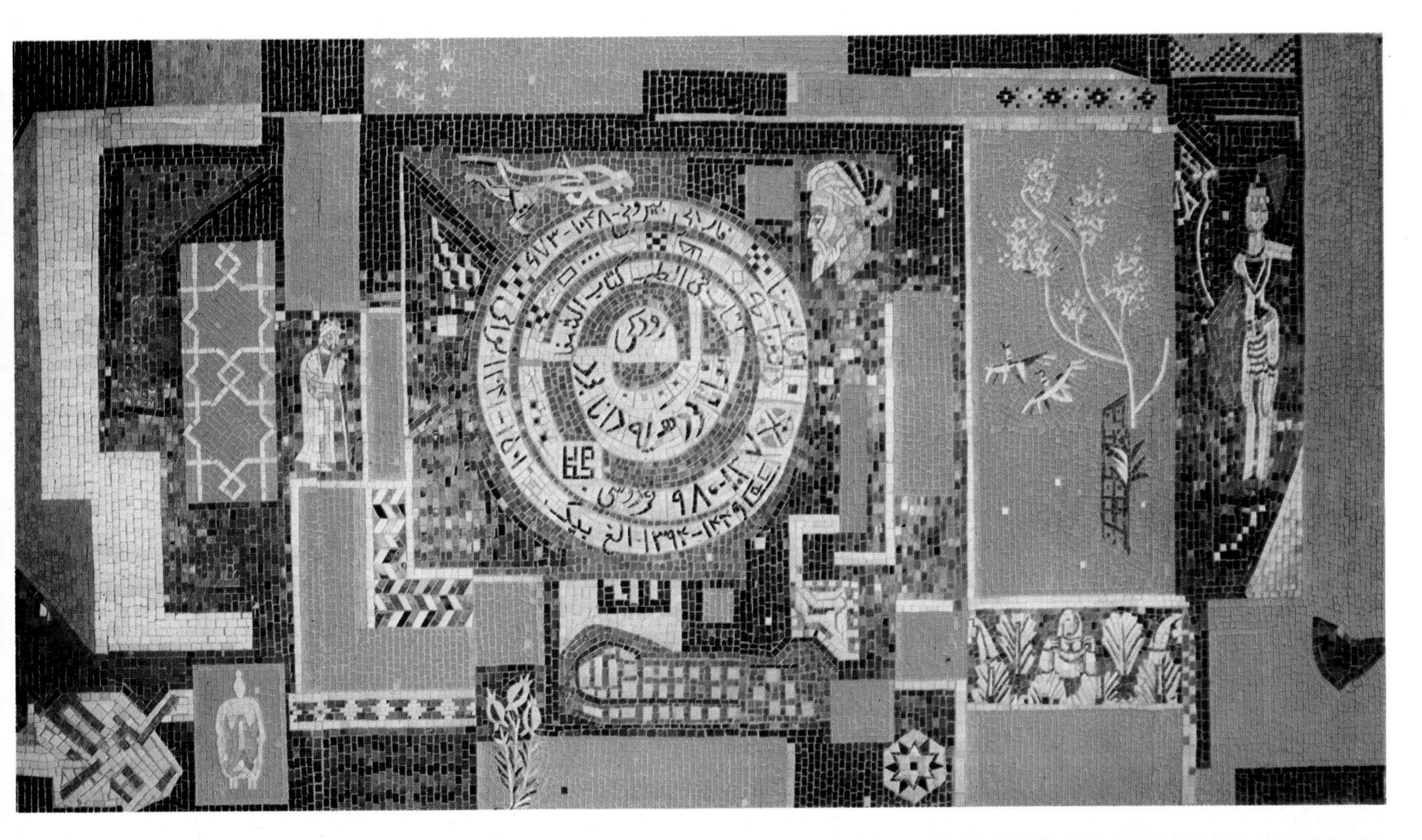

37 *The House of Knowledge. Mosaic panels on the ground and first*
38 *floors by L. Polishchuk and S. Shcherbinina*

Мозаичные панно на первом и втором этажах
Художники Л. Полищук, С. Щербинина

39 *The building of the Central Committee of the Communist Party of Uzbekistan. 1964*
Designed by V. Berezin, R. Blese, Yu. Zakirova, S. Ishankhojayev, A. Feinleib and Yu. Khaldeyev

Здание Центрального Комитета Коммунистической партии Узбекистана. 1964
Архитекторы В. Березин, Р. Блезе, Ю. Закирова, С. Ишанходжаев, А. Файнлейб, Ю. Халдеев

40 *Chaikhana on Lenin Boulevard. 1970. Summer pavilions*
Designed by L. Dzimas

Чайхана на бульваре имени В. И. Ленина. 1970.
Летние павильоны
Архитектор Л. Дзимас

41 *The Blue Domes café. 1970*
← *Designed by V. Muratov*

42 *Кафе „Голубые купола". 1970*
Архитектор В. Муратов

43 *Lenin Boulevard. Minor architectural forms. 1970*
Designed by O. Varaksina, L. Dzimas, T. Pershina and Yu. Khaldeyev

Бульвар имени В. И. Ленина. Малые архитектурные формы. 1970
Архитекторы О. Вараксина, Л. Дзимас, Т. Першина, Ю. Халдеев

44 *Chaikhana on Lenin Boulevard*
Чайхана на бульваре имени В. И. Ленина

45 *Lenin Boulevard. Minor architectural forms. 1972*
← *Designed by O. Varaksina, L. Dzimas, T. Pershina and Yu. Khaldeyev*

Бульвар имени В.И. Ленина. Малые архитектурные формы . 1972
Архитекторы О. Вараксина, Л. Дзимас, Т. Першина, Ю. Халдеев

46 *Blocks of flats in the "Ukraine" residential area. 1969*
Designed by G. Granatkin, V. Yezhov, A. Zabila, V. Zalutsky and V. Starikov
Жилые дома в микрорайоне „Украина". 1969
Архитекторы Г. Гранаткин, В. Ежов, А. Забила, В. Залуцкий, В. Стариков

47 *The Taras Shevchenko school. 1969*
Designed by I. Karakis and N. Savchenko
Murals by V. Kutkin

Школа имени Тараса Шевченко. 1969
Архитекторы И. Каракис, Н. Савченко
Роспись художника В. Куткина

48 *Kindergarten-crèche in the "Ukraine" residential area. 1969*
Designed by I. Korol, V. Kutsevich and V. Svitko

Детсад-ясли в микрорайоне „Украина". 1969
Архитекторы И. Король, В. Куцевич, В. Свитко

49 *The polyclinic of the Textile Mills. 1936*
Designed by K. Babiyevsky

Поликлиника Текстильного комбината. 1936
Архитектор К. Бабиевский

50 *The permanent exhibition of Uzbek applied art. 1902*
Reconstructed to the designs of U. Abdullaev, T. Azimov and N. Ilkhamov

Постоянно действующая выставка прикладного искусства Узбекистана. 1902
Реконструкция по проекту У. Абдуллаева, Т. Азимова, Н. Ильхамова

51 *Inner yard*
Дворик

52 *The entrance hall*
→ *Decorative painting by folk craftsmen Alimjan Kasymjanov and Usto Kal of Rishtan*

Вводный зал
Декоративные росписи народных мастеров Алимджана Касымджанова, Усто Каль из Риштана

53 *The Textile Workers' Palace of Culture. 1939*
Designed by A. Galkin and A. Karnaukhov

Дворец культуры текстильщиков. 1939
Архитекторы А. Галкин, А. Карнаухов

РОССИЯ
МЕХМОНХОНАСИ ГОСТИНИЦА

54 *Sapiornaya (Sapper) Square*
Саперная площадь

55 *Monument to Alisher Navoi. 1949*
By L. Ditrich
Architectural design by V. Volchek

Памятник Алишеру Навои. 1949
Скульптор Л. Дитрих
Архитектор В. Волчек

56 *The Hamza Uzbek Academic Theatre of Drama. 1969*
Designed by A. Sidorov

Узбекский государственный академический драматический театр имени Хамзы. 1969
Архитектор А. Сидоров

ОДНЯ КІФ МУЖЧИНЫ НА ОДНО ЛИЦО ЕГИПЕТ

57 *The Panoramic movie-theatre (the Palace of Arts). 1964*
Designed by V. Berezin, S. Sutiagin, Yu. Khaldeyev and D. Shuvayev

Панорамный кинотеатр (Дворец искусств). 1964
Архитекторы В. Березин, С. Сутягин, Ю. Халдеев, Д. Шуваев

58 *The Gulistan restaurant. 1967. Interior*
Designed by L. Komissar
Stained-glass panels by N. Grosman and I. Lipene

Ресторан „Гулистан“. 1967. Интерьер
Архитектор Л. Комиссар
Витраж художников Н. Гросман, И. Липене

59 *Banquet hall*
60 *Designed by L. Komissar*
Murals by A. Gan and V. Kakovin

Банкетный зал
Архитектор Л. Комиссар
Роспись художников А. Ган, В. Каковина

61 *The mausoleum of Baraq-khan. 16th century*

62 *Мавзолей Барак-хана. XVI в.*

63 *The Kukeltash madrasah. 16th century*
← *Медресе Кукельдаш. XVI в.*

64 *School No. 243 on Beruni Street. 1971*
Designed by N. Zinkina

Школа № 243 на улице Беруни. 1971
Архитектор Н. Зинкина

65 *Cottages in residential area C-27. 1973*
Designed by S. Adylov, I. Koptelova and G. Korobovtsev
Коттеджи в микрорайоне Ц-27. 1973
Архитекторы С. Адылов, И. Коптелова, Г. Коробовцев

66 *Mosaic decorating the entrance to an apartment house in residential area C-27. 1972. Detail*
Decorated by A. Zharsky, N. Zharsky and P. Zharsky

Оформление входной ниши жилого дома в микрорайоне Ц-27. 1972. Деталь
Художники А. Жарский, Н. Жарский, П. Жарский

67 *Monument to Yuldash Akhunbabayev. 19*
By V. Bogatyriov

Памятник Юлдашу Ахунбабаеву. 195
Скульптор В. Богатырев

68 *Blocks of flats in residential area C-27. 1973*
← *Designed by S. Adylov, I. Koptelova and G. Korobovtsev*

Жилые дома в микрорайоне Ц-27. 1973
Архитекторы С. Адылов, И. Коптелова, Г. Коробовцев

69 The Yubileiny Sports Palace. 1970
Designed by G. Alexandrovich, O. Palieva and N. Yasnogorodskaya

Дворец спорта „Юбилейный“. 1970
Архитекторы Г. Александрович, О. Палиева, Н. Ясногородская

70 *Stained-glass panel*
← Figure-skaters *by I. Lipene*
Витраж „Фигуристки"
Художник И. Липене

71 *High-relief* Ice-hockey Players *by Yu. Lipas*
Горельеф „Хоккеисты“
Скульптор Ю. Липас

72 *Student Town. 1963—71*
Designed by E. Kalashnikova
Вузовский городок. 1963—1971
Архитектор Е. Калашникова

73 *Student Town. The main building of the University*
← *Вузовский городок. Главный корпус университета*

74 *The Physics and Mathematics Faculty of the University*
Физико-математический факультет университета

75 *The sports building*
Спортивный корпус

76 *The University library. The reading-room*
Murals by A. Gan

Библиотека университета. Читальный зал
Роспись художника А. Ган

77 *Blocks of flats Nos 28 and 29 on Chukursai Street. 1974*
Designed by V. Tsuladze

Жилые дома № 28 и 29 на улице Чукурсай. 1974
Архитектор В. Цуладзе

78 *Blocks of flats in the Karakamysh district. 1973*
79 *Designed by D. Karimov and V. Tsuladze*
Mosaics by Yu. Zaitsev

Жилые дома в массиве „Каракамыш“. 1973
Архитекторы Д. Каримов, В. Цуладзе
Мозаика художника Ю. Зайцева

80 *Decorative panels on the end walls of blocks of flats Nos 28 and 29*
81 *on Chukursai Street*
By Yu. Zaitsev

Панно на торцах жилых домов № 28 и 29 на улице Чукурсай
Художник Ю. Зайцев

82 *Decorative panel on the end wall of a block of flats in the Karakamysh district. 1973*
By Yu. Zaitsev

Панно на торце жилого дома в массиве „Каракамыш“. 1973
Художник Ю. Зайцев

83 *The Georgi Dimitrov school. 1969*
Designed by V. Yankov
Sculptural decoration by A. Apostolov

Школа имени Георгия Димитрова. 1969
Архитектор В. Янков
Скульптор А. Апостолов

84 *Exhibition of the Economic Achievements of Uzbekistan. The lecture pavilion. 1970*
Designed by N. Perevoznikova and A. Chervinsky
Mosaics by D. Yusupov

Выставка достижений народного хозяйства Узбекской ССР. Кинолекторий. 1970
Архитекторы Н. Перевозникова, А. Червинский
Мозаика художника Д. Юсупова

85 *The exhibition of the Economic Achievements of Uzbekistan.*
The main building. 1964
Designed by A. Varshaver

Выставка достижений народного хозяйства Узбекской ССР.
Главный корпус. 1964
Архитектор А. Варшавер

86 *Community and shopping centre of the Yunusabad district. 1973. Yard*
Designed by G. Alexandrovich, E. Birshtein and R. Valiev
Общественно-торговый центр массива „Юнусабад“. 1973. Дворик
Архитекторы Г. Александрович, Е. Бирштейн, Р. Валиев

87 *Panorama of the Yunusabad district*
Designed by G. Alexandrovich, E. Birshtein, R. Valiev, M. Vorobyova and S. Paramoshkina

Панорама массива „Юнусабад“
Архитекторы Г. Александрович, Е. Бирштейн, Р. Валиев, М. Воробьева, С. Парамошкина

88 *Block of flats in Gorky Square. 1970*
Designed by G. Alexandrovich

Жилой дом на площади
имени М. Горького. 1970
Архитектор Г. Александрович

89 *Block of flats in Gorky Square. Entrance*
to the children's library
Ganch and stone carving by folk craftsman Mahmud Usmanov

Жилой дом на площади имени М. Горького.
Вход в детскую библиотеку
Резьба по камню и ганчу народного мастера Махмуда
Усманова

90 *Children's library. 1972. Reading-room*
Ganch carving by folk craftsman Mahmud Usmanov

Детская библиотека. 1972. Читальный зал
Резьба по ганчу народного мастера Махмуда Усманова

ГОСТИНИЦА
Саёхат
МЕХМОНХОН

91 ← *Sayokhat Hotel. 1969*
Designed by R. Valiev and V. Muratov
Гостиница „Саёхат“. 1969
Архитекторы Р. Валиев, В. Муратов

92 *The Salom chaikhana. 1965*
Designed by I. Pak and A. Freitag
Чайхана „Салом“. 1965
Архитекторы И. Пак, А. Фрейтаг

93 *Monument* Glory to the Komsomol. *1972*
By A. Akhmedov and I. Klenitsky
Architectural design by E. Yefremov
Памятник „Слава комсомолу“. 1972
Скульпторы А. Ахмедов, И. Кленицкий
Архитектор Е. Ефремов

94 *Intourist Hotel in Durmen. 1964*
95 *Designed by R. Blese*
96 *Гостиница ,,Интурист" в Дурмене. 1964*
Архитектор Р. Блезе

97 *The offices of the Attorney General of the Uzbek SSR. 1971*
→ *Designed by E. Fakhrutdinov*
Здание Прокуратуры Узбекской ССР. 1971
Архитектор Э. Фахрутдинов

98 *The Aeroflot building. 1974*
Designed by L. Ivanov
Здание Аэрофлота. 1974
Архитектор Л. Иванов

99 *Monument to Pushkin. 1974*
By M. Anikushin
Architectural design by S. Adylov
Памятник А. С. Пушкину. 1974
Скульптор М. Аникушин
Архитектор С. Адылов

АЛЕКСАНДРУ
СЕРГЕЕВИЧУ
ПУШКИНУ

100 ← 101 *Blocks of flats on Bogdan Khmelnitsky Street. 1973*
Designed by I. Demchinskaya, Yu. Ivannikov, A. Kosinsky and V. Povarich

Жилые дома на улице Богдана Хмельницкого. 1973
Архитекторы И. Демчинская, Ю. Иванников, А. Косинский, В. Поварич

102 *Monument to the Fourteen Turkestan Commissars. 1962*
By D. Riabichev
Architectural design by N. Milovidov and S. Ozhegov

Памятник четырнадцати туркестанским комиссарам. 1962
Скульптор Д. Рябичев
Архитекторы Н. Миловидов, С. Ожегов

103 *Block of flats on Katar-tal Street. 1969*
Designed by M. Vladimirova, B. Zinger, V. Korobov, M. Krasil-nikova, A. Krippa, A. Monakhova, B. Rubanenko, M. Rudneva, I. Soboleva and I. Ulyanitskaya
Decorative panel by A. Zharsky

Жилой дом на улице Катар-тал. 1969
Архитекторы М. Владимирова, Б. Зингер, В. Коробов, М. Красильникова, А. Криппа, А. Монахова, Б. Рубаненко, М. Руднева, И. Соболева, И. Ульяницкая
Панно художника А. Жарского

104 *The Chilanzar shopping centre. 1962*
Designed by I. Koptelova, V. Rashchupkin, V. Spivak and E. Yasnogorodsky
Чиланзарский торговый центр. 1962
Архитекторы И. Коптелова, В. Ращупкин, В. Спивак, Е. Ясногородский

105 *The Chilanzar restaurant. 1972. Interior*
Designed by V. Spivak and E. Yasnogorodsky
Decorated by A. Gan, A. Zharsky, N. Zharsky, P. Zharsky and R. Nemirovsky
Ресторан „Чиланзар“. 1972. Интерьер
Архитекторы В. Спивак, Е. Ясногородский
Художники А. Ган, А. Жарский, Н. Жарский, П. Жарский, Р. Немировский

106 *The building of the Chilanzar District Committee*
← *of the Communist Party of Uzbekistan. 1963*
Designed by A. Fischbein and A. Hurshidov

Здание Чиланзарского районного комитета
Коммунистической партии Узбекистана. 1963
Архитекторы А. Фишбейн, А. Хуршидов

107 *Blocks of flats on Farkhad Street in the "RSFSR" residential area. 1968*
Designed by M. Vladimirova, B. Zinger, V. Korobov, K. Krasilnikova, A. Krippa, A. Monakhova, B. Rubanenko, M. Rudneva, I. Soboleva and I. Ulyanitskaya

Жилые дома на Фархадской улице в микрорайоне РСФСР. 1968
Архитекторы М. Владимирова, Б. Зингер, В. Коробов, К. Красильникова, А. Криппа, А. Монахова, Б. Рубаненко, М. Руднева, И. Соболева, И. Ульяницкая

108 *Blocks of flats in residential area G-11. 1973*
Designed by A. Khurshidov
Decorated by A. Zharsky, N. Zharsky and P. Zharsky

Жилые дома в микрорайоне Г-11. 1973
Архитектор А. Хуршидов
Художники А. Жарский, Н. Жарский, П. Жарский

LIST OF PLATES

ПЕРЕЧЕНЬ ИЛЛЮСТРАЦИЙ

TASHKENT

Compiled and introduced by M. Bulatov and T. Kadyrova

Aurora Art Publishers. Leningrad. 1977

ТАШКЕНТ

Авторы вступительной статьи и составители альбома

Митхат Сагадатдинович Булатов,

Тулкиной Фазылджановна Кадырова

Издательство „Аврора". Ленинград. 1977

Перевод с русского Ю. И. НЕМЕЦКОГО
Редакторы А. С. БОГАЧЕВА, Е. В. ГИЛЬ
Редактор английского текста Ю. С. ПАМФИЛОВ
Художественный редактор С. М. МАЛАХОВ
Технический редактор Т. В. ЕЗЕРСКАЯ
Корректоры В. И. МЕЛКОВСКАЯ, И. Н. СТУКАЛИНА

ИБ № 270
Подписано в печать 30/III 1976. Формат 60×90 1/8, бумага мелованная.
Усл. печ. л. 21,5. Уч.-изд. л. 27,64. Изд. № 1774. (13–90). Заказ 005725/1
Издательство „Аврора". 191065, Ленинград, Невский пр., 7/9

Издано в СССР
Типография Фортшритт Эрфурт – ГДР